포로가 민간인을 인질로 삼아서 3호기를 점거하고 있다니, 무슨 소린가?!

그 전부가 건담 3호기 인가?

둘이 도킹해서 '덴드로비움'… 이라는 것 같습니다.

포로는 '오키스'

그게, 소위가 탑승한 건 '스테이멘' 이고

3호기에는 우라키 소위가 탄 게 아니었나?!

시냅스 함장!! 당장 3호기를 넘겨라!!

이 귀찮은 때에….

안 됐지만 나카토 소령.

코웬 중장님께 확인되지 않는 이상, 우리는 예정대로 건담을 수령해서

독립부대로서의 임무를 속행한다!!

네… 네녀석.

이건 명확한 반역행위다!! 군법회의에 회부하겠다!!

…

통신을 끄게!!

예?!

옛!!

우라키 소위!!

예.

그 포로와 아는 사이라고 하던데.

8

보고를 소홀히 했다는 건가? 소위.

죄… 죄송합니다.

지온군 파일럿이었던 케리 레즈너 대위입니다.

달에 기항했을 때 만났습니다.

회선을 연결해주게!!

됐다. 범인의 요구를 확인하고 싶다.

케리 레즈너 대위.

자네의 요구를 듣겠다!!

……

달에 내 가족이 있다...

그래서 달에 콜로니가 떨어지는 것만은 꼭 저지하고 싶다!!

그러기 위해 이 기체를 빌리겠다.

그대로 가지고 갈 수도 있었을 텐데?

하지만 대위!!

교섭하지 않아도 그 기체를

3호기의 출력이라면 가능합니다!!

달까지 제때 갈 수 있겠나?

끌어들일 생각은 없다.

그리고 민간인은 여기서 내려줄 생각이다.

아쉽게도 달까지 갈 추진제가 없다.

전 반대입니다!!

기체만 빼앗길 게 뻔합니다.

음….

인질을 해방할 때 포로를 쏴버리면 됩니다.

우라키가 타고 있어도

믿을 수 있겠냐고!!

가능성에 걸어보고 싶군….

달에 대한 콜로니 낙하를 저지할 타이밍이

지금뿐이라면

함장님!!

저는 케리 레즈너 대위를 파일럿으로서

믿어도 좋다고 생각합니다.

믿음 따위로 부대를 움직일 순 없네!!

넌 수혈 받은 빚이 있으니까.

니나?!

믿음 따위는 필요 없습니다!!

3호기는 지금 당장 출격시켜야 합니다!!

니나 양!!

멋대로
승함한 데 대해
사과드립니다.

니나 양?
이거 놀랐군요,
언제 이 함에?!

3호기의
메인 컨트롤은
스테이멘에
있습니다.

아… 예!!
봤습니다!!
분명 주도권은
이쪽에
있습니다.

제 건담
입니다!!

반드시
알비온으로
귀함
하겠습니다.

…

조종은 언제든
전환할 수 있게
되어 있죠.

매뉴얼은
확인했어?
코우!!

우라키 소위에게 콜로니 파괴 임무를 맡기겠다.

좋다…

중위… 말이십 니까?

예?

전시 계급이지만, 우라키 소위를 중위로 승격하겠다!!

알겠습 니다.

그리고 또 하나…

자기 판단의 책임이 더 무거워졌다는 것을 이해하고 행동하도록!!

버닝 대위가 전사한 때부터 생각한 일이다, 우라키 중위!!

뭐요?!

우라키가 나랑 같은 중위라고?!

18

예!!

......

인질을
해방해라!!

......

그거라면
한쪽 팔로도
조작하기
쉬울 거야!!

조종계를
부상 시 모드로
바꿔놨어!!

그래!!

갈게…

19

「1」

내…?
라트라가,
내 아이를
가졌다고….

예?

왜냐하면
그 사람
뱃속에

케리 씨
아이가 깃들어
있거든요.

?

소령님…

응?

카리우스 인가. 뭐지?

아… 이제 곧, 시마 함대의 콜로니가

달 상공에 도달한다고 합니다.

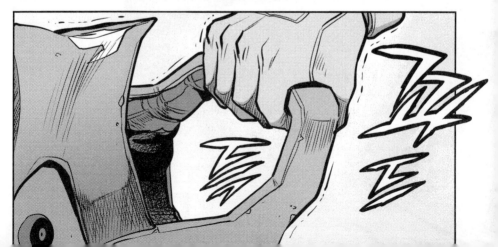

우리 부대도
델라즈 함대와의
합류를
서둘러라!!

예!!

소령님이
저렇게
화를 내시다니,
별일이군….

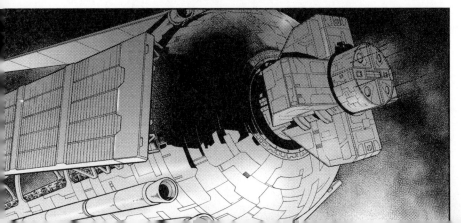

곧 폰 브라운 상공이다!!

하지만, 아쉽게도 콜로니의 궤도를 바꾸기 위한 추진 에너지가 바닥을 쳤다.

육안으로도 콜로니가 보이기 시작했겠지?

콜로니는 이대로 낙하 코스로 들어가겠지.

저지할 방법이 없어질 테니까.

큭….

달 주위를 돌면서
가속한
콜로니를 맞고
도시와 함께 소멸!!
뭐 그런 거지.

당장 결단을
내리지 않으면
댁들 운명은

댁들을
연방에 대한
본보기로
이용하는 건,
나도 가슴이 아파.

테러에
굴할 겁니까,
시장!!

댁들이나
나나
연방의
압정에
괴로워하는
입장이니까.

우리도
그러고
싶지는
않아.

시민의
안전이
우선이다.

당장
대답하라고!!

자!!

이쪽 요구를
받아들일지
어쩔지…

괜찮은 거죠, 케리 씨!!

내 싸움에 더 이상 망설임은 없다!!

그만 해라 우라키!!

상대는 지온입니다!!

......

싸울 이유가 있다는 건...

정말 좋군요.

그러면 정식으로 해병대 파일럿이라고 인정해주겠다.

그렇다면 알고 있겠지!! 살아서 돌아와라!!

클라라 롯지 중사, 출격하겠 습니다.

준비는 해놨어!! 아가씨.

그…

그래.

귀함하면,
다시는
아가씨라고
부르지 마.

휠이릴 맡은 거
시마 가라하우의
해병함대!!
수비가 탄탄해!!

접근
하기가
쉽지
않아!!

콜로니가
눈에
보이는데!!

큭!!

실탄에는
I필드도 효과가
없다는 걸
적도 알고 있습니다.

빨리 콜로니에
들어가지 않으면,
3호기 기체가
못 버팁니다.

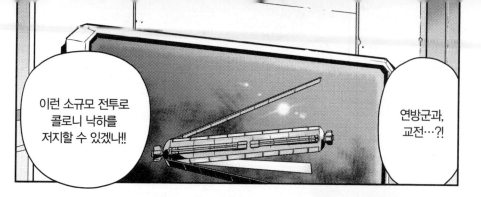

이런 소규모 전투로 콜로니 낙하를 저지할 수 있겠나!!

연방군과, 교전…?!

하지만 콜로니를 파괴할 수 있다는 보장은 없어!!

콘페이토에서 출격한 연방 함대는

콜로니 낙하 주회 궤도에 집결하고 있답니다!!

역시…

델라즈 플리트의 요구를 받아들이는 수밖에 없지 않을까요?

애너하임은 이미 준비가 되어 있습니다.

하지만, 오설리번 상무!!

그렇게 되면….

이건
우리의…

목숨과 관계된
문제입니다.

길
비켜라!!

하지만
내부에 침입하면
놈들도 함부로
공격할 수 없다.

……

자!!
이제 한계다.

대답을
들어보실까?

……

우리도 목숨은
아까우니까.

그것이 의회의
결정입니다.

그쪽의 요구를
받아들인다.

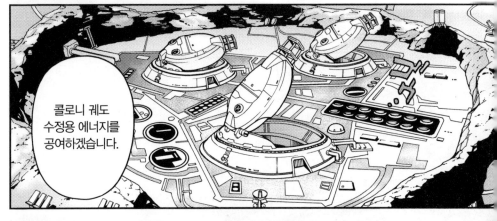

콜로니 궤도
수정용 에너지를
공여하겠습니다.

좋은
판단이다.

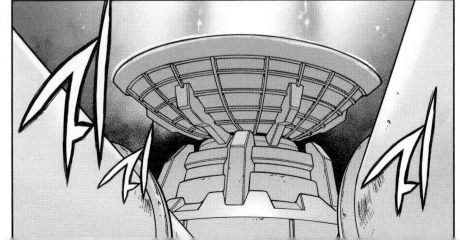

무…
무슨
빛이지?

이건…

레이저
에너지
공급….

콜로니에
움직임이…

이걸로 콜로니는
달 인력권을 이탈해서
새로운 표적으로
진로를 잡았다.

고갈됐던
추진제 공급에
감사한다.

그…
그래.

그래도
미러 지주는
파괴하도록
하죠.

모르겠
습니다!!

그럼 이 놈이
폰 브라운에
떨어지지
않는 건가?!

반짝…

시마 님!!
콜로니
전방에
함 반응….

살라미스급
3척이
최대 전속으로
달려옵니다!!

확실한가?!

64

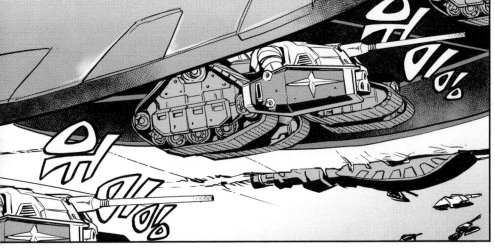

남미 자브로 연방군 본부

제3함대의 '스피어즈 부대' 목표에 돌입!! 작전 행동을 전개했습니다.

콜로니 내부에도 적 부대를 확인!!

콜로니 추진 콘트롤 유닛 제압이 불가능한 경우

내부에서 채광 미러 파괴를 우선해서 궤도를 바꾼다.

당연하다, 자미토프 하이먼 준장.

응?

그런 말씀이신가? 코웬 중장님.

적의 목적이 지구라는 걸 알고 있었다는

작전 행동을 수행하고 있지!! 네놈 마음대로는 안 된다!!

함대는 이미 콜로니의 궤도를 바꾸기 위해

하지만, 결국 제3함대는 살아남았다!!

뭐라고!!

많이 피곤하신가 보군요.

엉뚱한 망상에 빠져 계신 걸 보면….

흥

네놈이 함부로 떠들지 못하게 해주마!!

내가 콜로니 낙하를 저지해서

코웬 중장님….

본부 작전 지휘의 무거운 책무를 내려놓는 게 어떠십니까.

74

크…

아마도 중장님이 움직이는 마지막 함대가 될 테니까….

그럼, 선전을 기대하겠습니다.

…

단, 건담 3호기가 선행해서

이미 콜로니 내부에 돌입했다고 합니다.

…

알비온은 어떻게 됐나….

현재 라비앙 로즈를 떠나서 콜로니를 따라가고 있습니다.

건담… 인가.

잠깐!!

너, 우군 이냐?!

예!! 식별 신호를 확인해 주십시오!!

콜로니의 미러를 파괴하기 위해서 왔습니다!!

겨우 혼자서 뭘 한다고!!

방해하지 말고 빠져 있어!!

우라키,
소용
없다.

이 놈들
눈엔
전국이
안 보인다!!

방해라고…?!

아군이란
말이야!!

아…

예!!

우리가
미러의
지주를
파괴하자.

E.F.S.F

몰라!!
식별 불명의
모빌 탱크를
복수 확인했다.

적은
어디지?!

해병대한테 속은 게 아닐까요?

나웨스트 함장님!!

이 타이밍에서 전투는 작전 예정에 없었는데.

복귀할 기회를 줬다.

믿는 수밖에 없잖아.

시마는 그라나다에 숨어있던 우리 전범들한테…

해병한테 빚은 있어도 고마워할 이유는 없지만.

우리도 전범으로 지정됐으니

사실 브리티시 작전에서 해병대의 독가스를 이 우드갈드가 운반한 탓에

즈다 3대가 대기 중입니다.

격납고에 뭐가 남아 있지?

2대를 지원으로 출격시킨다!! 미노프스키 입자 살포도 잊지 말고.

그럼 하나는 함 수비로 남기고

기절했었나?!

그 하얀 덩치는 어디 있지?!

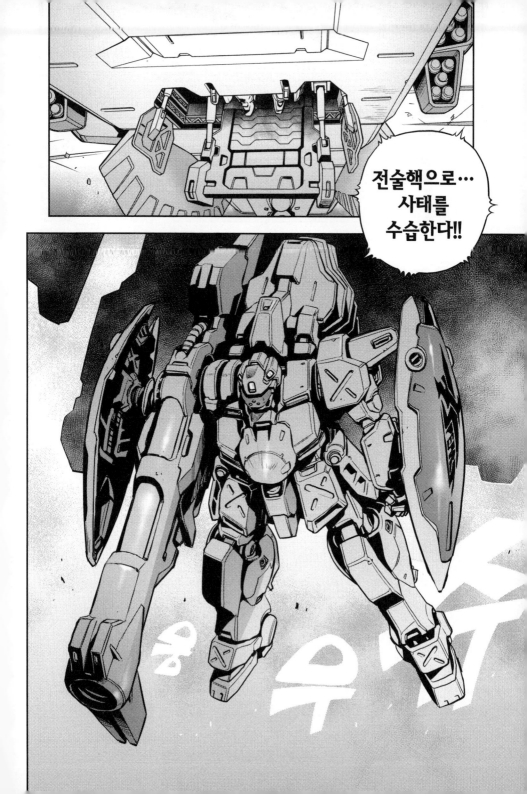

번역

콜로니를 파괴하는데 핵을 쓰겠다니….

대피 명령이라고?!

제58화 「섬광! 또 다시…」

이 기체, 알아요.

……

코웬 중장님은

어느새 이런 기체를 개발한 거지?!

연방의 병기 공창에서 실험적으로 만든 콘셉트 MS입니다.

중장님이 애너하임에 건담 개발 계획을 의뢰하기 전에

시마 님!!

무사했냐.
의외로
끈질기구나,
클라라!

하얀
놈!!

지금은
내버려둬라.

어째서죠
…?!

뒤집어버리게 둘 수는 없으니까.

열심히 준비해서 차려놓은 밥상을, 핵 따위가

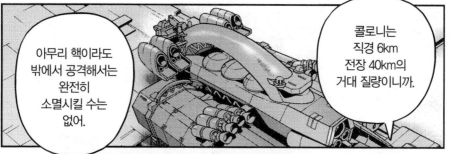

아무리 핵이라도 밖에서 공격해서는 완전히 소멸시킬 수는 없어.

콜로니는 직경 6km 전장 40km의 거대 질량이니까.

침입지점을 보면 거리는 대략 30km….

콜로니의 구조 지주가 모여 있는 부분….

저라면 핵으로 여기를 노릴 겁니다.

그러니까, 적이 굳이 콜로니 내부로 침입했다는 건…

개발하던 바주카는 핵융합탄입니다.

폭발과 동시에 가립자를 방사하고, 연쇄 핵융합으로 위력을 확산하는 방식이죠.

핵융합에 필요한 것은 강대한 압력.

그래서 포신 내부에 미노프스키 자장 이론을 응용한

고압력 필드를 형성해서

핵융합탄을 사출합니다.

단, 압력이 높으면 방대한 열도 발생하는데

그 처리가 설계상의 과제였습니다.

전문적인 얘기는 모르겠군.

그 기체에 대해 가르쳐주게.

EYPHAR SINAPUS

코웬 중장님이 그렇게까지 절박한 상황에 몰려 있다는 뜻이군….

한 발의 도박인가….

저 기체 포신은 한 번 쏘고나면 다시는 쓸 수 없죠.

필드 형성은 2호기에서 완성된 기술입니다.

아니…

우리도 마찬가지 려나….

콜로니 낙하만 저지하면, 그걸로 되는 것이다!!

한 발이면 충분…

포신 내부 압력 상승!!

아직 할 수
있다…

난…

뿌득

와

뭔가 안 좋은
분위기다.

그래…

적이
조용해진 것
같지 않나요?

케리 씨….

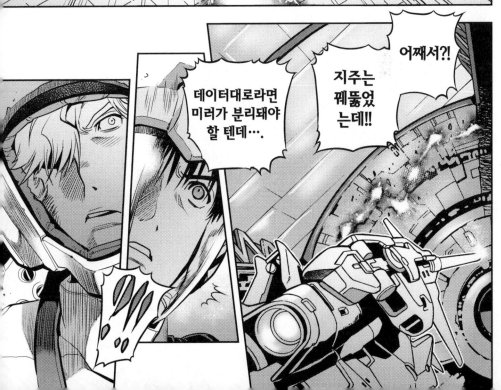

데이터대로라면
미러가 분리돼야
할 텐데….

지주는
꿰뚫었
는데!!

어째서?!

하지만
…

미러를 한 장…
파괴했어.

이걸로
콜로니의

균형이
무너질까?
우라키….

이걸로 균형이
무너지는 일
없이

콜로니는
지구로 간다.

대응책은
마련해뒀지.

뭐야⋯.

전부
헛수고였다는
거야?

각하!!

후속 함대를
콜로니
정면으로
보내!!

몸으로
부딪쳐서라도
궤도를 바꿔라!!

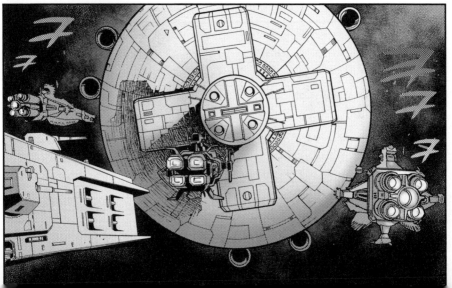

3호기의
화력으로는,
더 이상 콜로니
파괴는…

케리 씨,
철수하겠
습니다.

?!

잠깐!!
우라키,
저건….

슝…

예?!

124

설마….

아냐….

하지만…
저 MA는….

제59화 「저지 한계점」

듣고
있지!!

대답
해라!!
가토!!

케리…

역시 아직
그 기체에
타고 있었나….

그게
별가루
작전이었나?

처음부터
콜로니를
달에 떨굴
생각이
아니었다는
건가?

네게는 모든 걸
말해야 했다…

그러면 연방에
부역하는…

꼴사나운 모습을
안 봐도
됐을 테니까.

라트라를
지키기
위해서
였지만

동포를 해친
내게는

돌아갈 곳도
없다…

난…
전장을
잃었다.

여자를
위해서
라고…

그 나약함이
초래한
결과다.

왜
인 쯤이기니!!
우라키!!

가토를
쓰러
트리는 게

네가
싸우는
이유가
아니었나?!

그리고
보급도 필요합니다…
귀함하는 수밖에
없습니다.

지금의
빔 위주 장비로는,
저 MA를
쓰러트릴 수
없어요!!

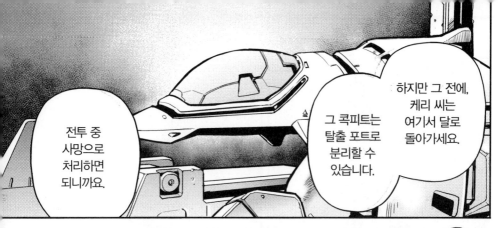

그 콕피트는 탈출 포트로 분리할 수 있습니다.

하지만 그 전에, 케리 씨는 여기서 달로 돌아가세요.

전투 중 사망으로 처리하면 되니까요.

라트라도, 다시는 만날 수 없다.

미안 하지만…

난 달로 돌아가지 않는다.

가토의 말을 듣고 정신이 들었다…

우리가 있을 곳은 전장뿐이다…

어째서죠? 이번을 마지막으로

전장에서 물러날 거라고 생각했는데.

시마 님!!

적 MS를 섬멸했습니다!!

입대 심사에 합격인가요?

옛!!

해병다운 활약이었다!! 클라라 중사.

알겠습니다!!

예이!!

뒷처리는 나웨스트 부대에 맡기고

릴리 마를렌으로 돌아가자!!

알비온이…

아직… 남아 있다.

또한 오키스 콕피트에 농성 중인 포로를 자극하지 않도록 하고!!

건담 3호기가 귀함!! 서둘러 보급하라.

그냥 끌어내면 되잖아!!

몬시아 중위님!! 함장님께 허가 받았습니다!!

돌입하지 마세요.

인질도 없는데!!

아앙? 자극하지 말라니, 뭔 소리야.

키스.

코우는 이 틈에 방에서 쉬라는데.

쎄!

귀찮은 걸 끌고 오고 말이야!!

너무 편들어주지 마.

대위님을 죽인 놈이잖아!!

알고 있어…

그래도 케리 씨는 믿을 수 있는 사람이야!!

애!!

히지 미!!

실례
했습니다,
중위님!!

그러고 보니까
중위로
승진했지.

꼭 쉬어야
한다!!

코우!!

니나!!

재게 여잠 지르네...

우라키 저 자식!!

팔자도 좋네.

이런 때…

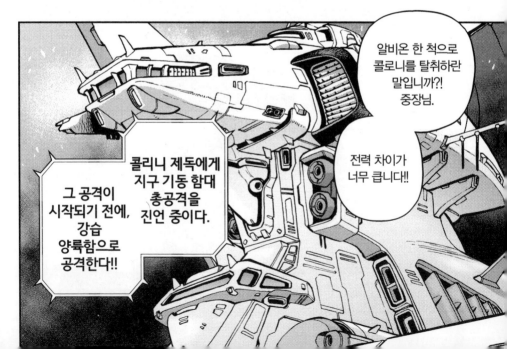

알비온 한 척으로 콜로니를 탈취하란 말입니까?! 중장님.

전력 차이가 너무 큽니다!!

콜로니 제독에게 지구 기동 함대 총공격을 진언 중이다.

그 공격이 시작되기 전에, 강습 양륙함으로 공격한다!!

콜로니 추진용 콘트롤을 탈취해서 궤도를 바꿔라!!

반드시 있다!!

자브로로 향하는 최종 조정에 필요하니까.

콜로니에 추진제가 남아 있습니까?

19시간 뿐이다!!

아니!! 저지 한계점까지 남은 시간은…

지구 낙착까지 앞으로 22시간…

22:54:03.01!!

그 지점을 돌파당하면…

콜로니 정도 질량을 막을 방법은 없다.

저지 한계점…

무슨 수를 써서라도 콜로니 낙하를 저지해야만 한다

그 의미를 알고 있겠지!! 시냅스 대령!!

예…

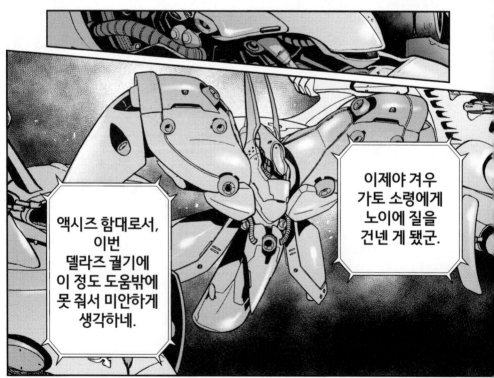

이제야 겨우 가토 소령에게 노이에 질을 건넨 게 됐군.

액시즈 함대로서, 이번 델라즈 궐기에 이 정도 도움밖에 못 줘서 미안하게 생각하네.

146

아닙니다!!

허슬러 소장님의 마음만으로도 충분합니다!!

작전을 성취한 뒤에 많은 잔존병을 회수할 것을 약속한다!!

우리는 중립이다 보니 그쪽 가까이 갈 수는 없지만

감사합니다!! 덕분에 뒷일을 걱정하지 않고 싸울 수 있겠습니다!!

그러기 위한 노이에 질이다!! 기체는 마음에 들었나.

뭐라 할 말이 없습니다!! 굳이 말하자면….

예

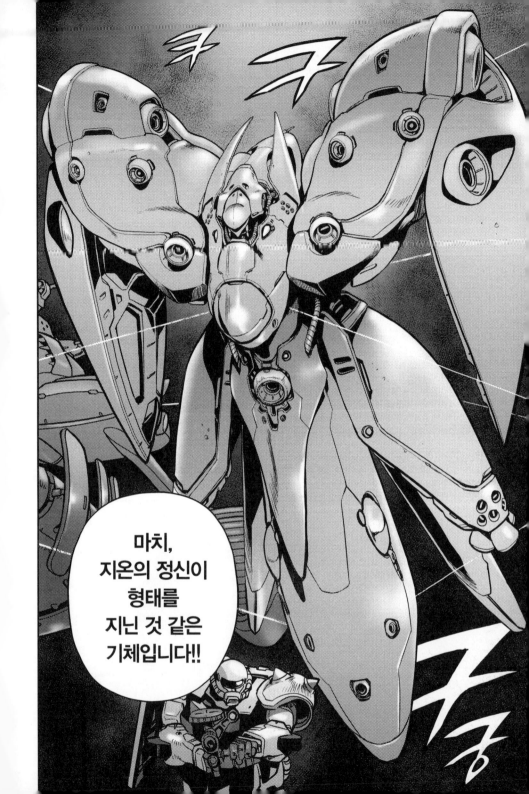

마음껏
싸워주게!!
가토 소령

그래!!

실은…

저희도 소령님과
동행할까 합니다.

올리버
마이 중위,
귀관들도
퇴함하라.

액시즈 함대로
무사히
돌아갈 수
없게 된다!!

149

…목숨은 보장 못 한다.

기술자로서 연방의 신형 건담에도 관심이 갑니까.

노이에 질의 기동 데이터 때문이기도 합니다만

놈은 반드시 나타난다.

그리고 그 건담은 내가 쓰러트린다.

.....

아니.

웬일이야?

무슨 일
있어?!

코우…
잠이
안 와?

니나?

어?

MOBILE SUIT
GUNDAM
0083
REBELLION
STARDUST MEMORIES

MOBILE SUIT
GUNDAM
0083
REBELLION
STARDUST MEMORIES

제60화 「니나의 고백」

가토 때문에?

그래…

하지만, 말하기 전에 이것만은 알아줘….

코우.

널 좋아해….

이 싸움이 전부… 끝나면

너와 같이 지구로 내려갈까 싶어.

너와 만나기 전에…

솔직히 고백할게…

건담 개발을 담당하기 전에, 달에서 그 사람과 만났어.

그 애너벨 가토!!

맞아, 가토야.

그 사람…

그거, 설마….

짧은 시간이었지만…

난 가토라는 남자를 사랑했고

그 사람도…

날 필요로 해줬어.

……

가토가
연인이었다는
거야?

그거…

뭐야…

왜 지금까지
말을 안 한
거야!!

사귀던 때는
지온
군인이라는 걸
몰랐어.

어쩔 수
없잖아!!

델라즈의 연설 화면에, 그 사람이 나온 걸 본 때였어.

그 사람이 갑자기 사라진 이유를 알게 된 건…

생각해 보니까 니나가 뭔가 이상하긴 했어.

알비온이 달에 기항했을 때…

그럼 그 멋대로 하는 부탁이 뭔데?!

당신을 버린 남자한테 복수해달라고?

맞아.

아마 그렇게 되겠지.

하지만 복수라든지, 미워서 그러는 게… 아냐.

왜냐하면 널 좋아하는 만큼…

가토도 좋아하니까….

난, 정말 못된 여자야…

이런 얘기는…

너한테 상처만 주는 건데.

네가 어떤 사람인지 모르겠어….

미안해 코우.

하지만….

혼자서도 괜찮아!!

…

믿을 수가 없네!!

왜 안 도망치고 돌아왔어?

166

전투식량만 먹으면 몸이 못 버틸 테니까.

고… 고맙다.

자, 먹을 거!! 샌드위치야.

지금까지 기동 데이터를 확인했어.

당신의 기량은 파일럿으로서 충분한 수치였어.

솔직히 놀랄 지경이야.

오키스를 이렇게까지 다루다니

역시 지온군 MA 파일럿 출신이네.

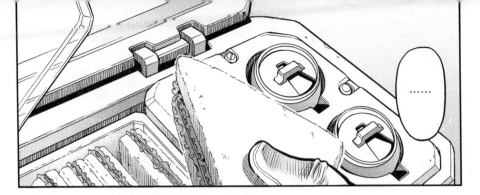

……

아마 함장님은 또 당신과 우라키 중위를 같이 출격시킬 생각인 것 같아.

그만큼 절박한 상황이라는 뜻이지.

현재 상황을 가르쳐줘!

그래서 덴드로비움을 중화력으로 환장하려는 건데

난 반대야!!

투입할 수 있는 전력을 최대한 투입…

웨폰 컨테이너 풀 장비를 갑자기 실전에 투입하다니…

파일럿한테 부담만 준다고.

이 카운트는—?

하긴, 규격을 벗어난 중장비군.

충분히 시뮬레이션 해두고.

이왕 장비했으니 잘 사용해줘.

타임 리미트야.

콜로니 낙하를 저지하기 위한

카운트다운…
인가.

좋든 싫든
긴장감이
커질 거야.

이 함의
모든 사람이
마치 죽으러 가는
바보 집단 같은
느낌이라니까.

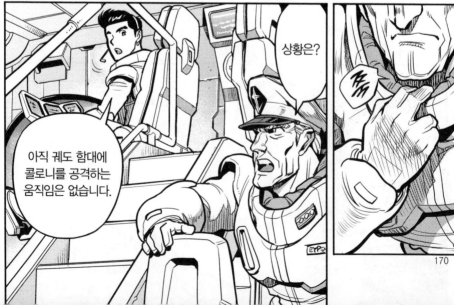

상황은?

아직 궤도 함대에
콜로니를 공격하는
움직임은 없습니다.

170

예!!

전 승무원에게 노멀 수트 착용 지시!!

제1종 전투태세를 유지!!

자브로는 대체 무슨 생각이지? 때를 놓칠 텐데.

…

마치 전시 같군….

기다려 코우!!

잘 쉬었어?

콕피트 대기는 힘들다니까.

괜찮아 키스.

죽으면 그냥 안 둔다!!

그래!! 알았어!!

앗!!

흠···.

의외의 조합이군.

모라하고는 언제부터?

아델 소위님!!

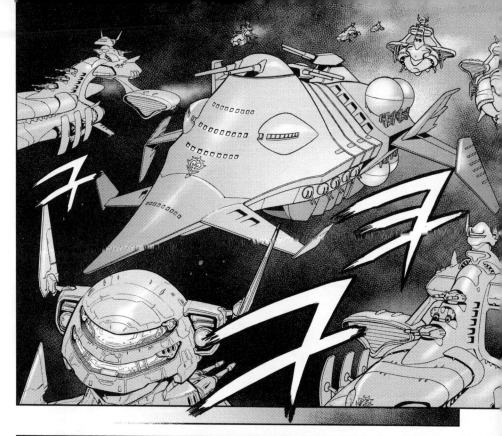

안심하게나.

우리는 자네와
해병대의 가치를
높이 평가하고
있다.

남미 자브로
지구 연방군 본부

JOHN KOWEN

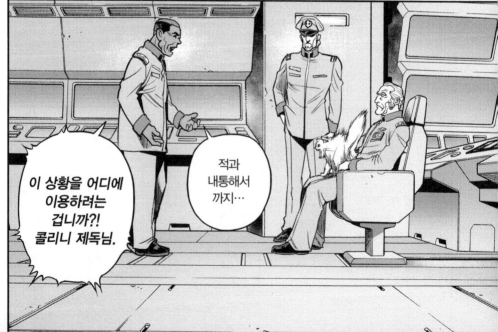

이 상황을 어디에
이용하려는
겁니까?!
콜리니 제독님.

적과
내통해서
까지…

까불지 마라 코웬.

네놈의 건담 개발 계획이 이 모든 문제의 발단이다!!

자미토프 …!!

오늘부로 코웬의 지휘권을 박탈한다.

방으로 연행해서 연금하도록.

제독님!! 시간이 없습니다!!

…

콜리니 제독님!!

이상한 생각 하지 마시고 지금 당장 공격을.

181

이거 봐라!!

3시 방향에 기함 그와덴 확인!!

이제야 기어 나오셨나!

델라즈 주력 함대가 합류합니다.

잘 했다
시마.

귀공과
해병의 실력,
잘 봤다!!

그 말씀을 들으니
속이
후련해지는군요.